U1071086

在“不忘初心、牢记使命”主题教育工作会议上的讲话

（2019 年 5 月 31 日）

习 近 平

人 民 出 版 社

图书在版编目(CIP)数据

在"不忘初心、牢记使命"主题教育工作会议上的讲话/习近平 著. —北京:人民出版社,2019.7

ISBN 978-7-01-021038-4

Ⅰ.①在… Ⅱ.①习… Ⅲ.①习近平-讲话-学习参考资料②中国共产党-党员-思想政治教育-学习参考资料 Ⅳ.①D2-0②D261.42

中国版本图书馆 CIP 数据核字(2019)第 135574 号

(RMC-ZJDXI-077-20190531)

在"不忘初心、牢记使命"主题教育工作会议上的讲话

ZAI BUWANG CHUXIN LAOJI SHIMING ZHUTI JIAOYU GONGZUO HUIYI SHANG DE JIANGHUA

(2019 年 5 月 31 日)

习 近 平

人民出版社 出版发行
(100706 北京市东城区隆福寺街 99 号)

北京新华印刷有限公司印刷 新华书店经销

2019 年 7 月第 1 版 2019 年 7 月北京第 1 次印刷
开本:880 毫米×1230 毫米 1/32 印张:0.5
字数:7 千字

ISBN 978-7-01-021038-4 定价:2.00 元

邮购地址 100706 北京市东城区隆福寺街 99 号
人民东方图书销售中心 电话 (010)65250042 65289539

版权所有 · 侵权必究
凡购买本社图书,如有印制质量问题,我社负责调换。
服务电话:(010)65250042

在“不忘初心、牢记使命”主题教育工作会议上的讲话

（2019年5月31日）

习 近 平

党的十九大决定，以县处级以上领导干部为重点，在全党开展“不忘初心、牢记使命”主题教育。今年是中华人民共和国成立70周年，也是我们党在全国执政第70个年头，在这个时刻开展这次主题教育，正当其时。党中央已经印发了关于在全党开展“不忘初心、牢记使命”主题教育的意见。今天会议就是对全党开展这次主题教育进行动员部署。

下面，我讲3个问题。

一、充分认识开展主题教育的重大意义

为中国人民谋幸福，为中华民族谋复兴，是中国共

产党人的初心和使命，是激励一代代中国共产党人前赴后继、英勇奋斗的根本动力。开展这次主题教育，是党中央统揽伟大斗争、伟大工程、伟大事业、伟大梦想作出的重大部署，对统筹推进“五位一体”总体布局、协调推进“四个全面”战略布局，决胜全面建成小康社会、夺取新时代中国特色社会主义伟大胜利、实现中华民族伟大复兴的中国梦，具有重大而深远的意义。

第一，开展这次主题教育，是用新时代中国特色社会主义思想武装全党的迫切需要。马克思主义是我们立党立国的根本指导思想。中国共产党从诞生之日起，就把马克思主义鲜明地写在自己的旗帜上。我们党一路走来，无论是处于顺境还是逆境，从未动摇对马克思主义的坚定信仰。改革开放以来，我们党先后开展了整党、“三讲”教育、先进性教育活动、学习实践科学发展观活动、群众路线教育实践活动等，推进“两学一做”学习教育常态化制度化，通过集中性教育和经常性教育相结合，不断强化党的理论学习、教育、武装工作。在新时代，我们党顺应时代发展新要求，创立了新时代中国特色社会主义思想。理论创新每前进一步，理论武装就要跟进一步。

目前，一些党员干部在理论学习上同党中央要求相比还存在不小差距，没有做到往深里走、往心里走、往实里走。开展这次主题教育，就是要坚持思想建党、理论强党，坚持学思用贯通、知信行统一，推动广大党员干部全面系统学、深入思考学、联系实际学，不断增强“四个意识”、坚定“四个自信”、做到“两个维护”，筑牢信仰之基、补足精神之钙、把稳思想之舵。

第二，开展这次主题教育，是推进新时代党的建设的迫切需要。党的十八大以来，我们坚持党要管党、全面从严治党，坚持问题导向，以整治“四风”为突破口，着力解决党内存在的突出问题，以雷霆万钧之力反对腐败，刹住了一些过去被认为不容易刹住的歪风邪气，克服了一些司空见惯的顽瘴痼疾，党风政风明显好转。

全面从严治党永远在路上。我们党面临的“四大考验”是长期的、复杂的，面临的“四种危险”是尖锐的、严峻的，党内存在的思想不纯、政治不纯、组织不纯、作风不纯等突出问题尚未得到根本解决。还要看到，“四风”问题树倒根存，形式主义、官僚主义问题依然突出。开展这次主题教育，就是要认真贯彻新时代党的建设总要求，奔着问题去，以刮骨疗伤的勇气、坚忍不拔的韧劲坚决予以整治，同一切影响党的先进性、弱化党的纯洁性的问题作坚决斗争，努力把我们党建设得更加坚强有力。

第三,开展这次主题教育,是保持党同人民群众血肉联系的迫切需要。人民是我们党执政的最大底气,是我们共和国的坚实根基,是我们强党兴国的根本所在。我们党来自于人民,为人民而生,因人民而兴,必须始终与人民心心相印、与人民同甘共苦、与人民团结奋斗。每个共产党员都要弄明白,党除了人民利益之外没有自己的特殊利益,党的一切工作都是为了实现好、维护好、发展好最广大人民根本利益;人民是历史的创造者、人民是真正的英雄,必须相信人民、依靠人民;我们永远是劳动人民的普通一员,必须保持同人民群众的血肉联系。

目前,一些党员干部为民服务不实在、不上心、不尽力,脱离群众。开展这次主题教育,就是要继续教育引导广大党员干部自觉践行党的根本宗旨,把群众观点、群众路线深深植根于思想中、具体落实到行动上,着力解决群众最关心最现实的利益问题,不断增强人民群众对党的信任和信心,筑牢党长期执政最可靠的阶级基础和群众根基。

第四,开展这次主题教育,是实现党的十九大确定的目标任务的迫切需要。党的十九大提出的"两个一百年”奋斗目标，是人民对美好生活向往的集中体现，是当代中国共产党人最重要最现实的使命担当。明年，我们将努力实现第一个百年奋斗目标，全面建成小康社会。那将是中国历史乃至人类发展史上一个令人激动的重大时刻。越是接近目标，越需要全党同志增强信心、勠力同心，保持忧患意识、增强斗争精神，沉着应对各种风险挑战。现在，外部环境复杂，风险挑战严峻，不稳定不确定因素明显增多。实现党的十九大确定的宏伟目标，完成艰巨繁重的改革发展稳定任务，需要全党付出更为艰巨、更为艰苦的努力。

目前，一些党员干部干事创业精神不振、担当劲头不够。开展这次主题教育，就是要教育引导广大党员干部发扬革命传统和优良作风，团结带领人民把党的十九大绘就的宏伟蓝图一步一步变为美好现实。

还要特别强调的是，今年是新中国成立 70 周年。在这个重要时间节点开展“不忘初心、牢记使命”主题教育，其特别意义在于，无论我们走得多远，都不能忘记来时的路。前几天，我去了江西于都，参观中央红军长征出发地，目的是缅怀当年党中央和中央红军在苏区浴血奋战的峥嵘岁月，牢记红色政权是从哪里来的、新中国是怎么建立起来的，不忘历史、不忘初心。现在，我们正在进行实现中华民族伟大复兴的新长征，广大党员干部必须牢记党的理想信念和根本宗旨，必须弘扬伟大的长征精神，必须发扬革命战争年代那种敢于战斗、不怕困难的奋斗精神，勇于战胜各种艰难险阻、风险挑战，奋力夺取新时代中国特色社会主义新胜利。

二、准确把握主题教育的目标要求

党中央对这次主题教育的总要求、目标任务、方法步骤作出了明确规定，要准确把握党中央精神，结合本地区本部门本单位实际，对准目标，积极推进，确保取得预期效果。

第一，认真贯彻总要求。“守初心、担使命，找差距、抓落实”的总要求，是根据新时代党的建设任务、针对党内存在的突出问题、结合这次主题教育的特点提出来的。

守初心，就是要牢记全心全意为人民服务的根本宗旨，以坚定的理想信念坚守初心，牢记人民对美好生活的向往就是我们的奋斗目标；以真挚的人民情怀滋养初心，时刻不忘我们党来自人民、根植人民，人民群众的支持和拥护是我们胜利前进的不竭力量源泉；以牢固的公仆意识践行初心，永远铭记人民是共产党人的衣食父母，共产党人是人民的勤务员，永远不能脱离群众、轻视群众、漠视群众疾苦。

担使命，就是要牢记我们党肩负的实现中华民族伟大复兴的历史使命，勇于担当负责，积极主动作为，用科学的理念、长远的眼光、务实的作风谋划事业；保持斗争精神，敢于直面风险挑战，知重负重、攻坚克难，以坚忍不拔的意志和无私无畏的勇气战胜前进道路上的一切艰难险阻；在实践历练中增长经验智慧，在经风雨、见世面中壮筋骨、长才干。

找差距，就是要对照新时代中国特色社会主义思想和党中央决策部署，对照党章党规，对照人民群众新期待，对照先进典型、身边榜样，坚持高标准、严要求，找一找在增强“四个意识”、坚定“四个自信”、做到“两个维护”方面存在哪些差距，找一找在知敬畏、存戒惧、守底线方面存在哪些差距，找一找在群众观点、群众立场、群众感情、服务群众方面存在哪些差距，找一找在思想觉悟、能力素质、道德修养、作风形象方面存在哪些差距，有的放矢进行整改。

抓落实，就是要把新时代中国特色社会主义思想转化为推进改革发展稳定和党的建设各项工作的实际行动，把初心使命变成党员干部锐意进取、开拓创新的精气神和埋头苦干、真抓实干的自觉行动，力戒形式主义、官僚主义，推动党的路线方针政策落地生根，推动解决人民群众反映强烈的突出问题，不断增强人民群众获得感、幸福感、安全感。

“守初心、担使命，找差距、抓落实”是一个相互联系的整体，要全面把握，贯穿主题教育全过程。

第二，牢牢把握目标任务。开展这次主题教育，根本任务是深入学习贯彻新时代中国特色社会主义思想，锤炼忠诚干净担当的政治品格，团结带领全国各族人民为实现伟大梦想共同奋斗。具体目标是理论学习有收获、思想政治受洗礼、干事创业敢担当、为民服务解难题、清正廉洁作表率。这一目标任务，体现了党对新时代党员干部思想、政治、作风、能力、廉政方面的基本要求。

理论学习有收获，重点是教育引导广大党员干部在原有学习的基础上取得新进步，加深对新时代中国特色社会主义思想和党中央大政方针的理解，学深悟透、融会贯通，增强贯彻落实的自觉性和坚定性，提高运用党的创新理论指导实践、推动工作的能力。

思想政治受洗礼，重点是教育引导广大党员干部坚定对马克思主义的信仰、对中国特色社会主义的信念，传承红色基因，增强“四个意识”、坚定“四个自信”、做到“两个维护”，自觉在思想上政治上行动上同党中央保持高度一致，始终忠诚于党、忠诚于人民、忠诚于马克思主义。

干事创业敢担当，重点是教育引导广大党员干部以强烈的政治责任感和历史使命感，保持只争朝夕、奋发有为的奋斗姿态和越是艰险越向前的斗争精神，以钉钉子精神抓工作落实，坚决摒弃一切明哲保身、得过且过、敷衍塞责、懒政怠政等消极行为，努力创造经得起实践、人民、历史检验的实绩。

为民服务解难题，重点是教育引导广大党员干部坚守人民立场，树立以人民为中心的发展理念，增进同人民群众的感情，自觉同人民想在一起、干在一起，着力解决群众的操心事、烦心事，以为民谋利、为民尽责的实际成效取信于民。

清正廉洁作表率，重点是教育引导广大党员干部保持为民务实清廉的政治本色，正确处理公私、义利、是非、情法、亲清、俭奢、苦乐、得失的关系，自觉同特权思想和特权现象作斗争，坚决预防和反对腐败，清清白白为官、干干净净做事、老老实实做人。

第三，落实重点措施。这次主题教育不划阶段、不分环节，不是降低标准，而是提出更高要求。各地区各部门各单位要结合实际，创造性开展工作，把学习教育、调查研究、检视问题、整改落实贯穿主题教育全过程，努力取得最好成效。

党内存在的一些突出问题，从根源上说都是思想上的问题。从延安整风运动以来，我们党开展历次集中性教育活动，都是以思想教育打头。开展这次主题教育，要强化理论武装，聚焦解决思想根子问题，组织党员干部读原著、学原文、悟原理，自觉对表对标，及时校准偏差。要采取理论学习中心组学习、举办读书班等形式，分专题进行研讨交流。要采取多种形式，深入开展革命传统教育、形势政策教育、先进典型教育和警示教育，增强学习教育针对性、实效性、感染力。要宣传那些秉持理想信念、保持崇高境界、坚守初心使命、敢于担当作为的先进典型，形成学习先进、争当先进的良好风尚。

“一语不能践，万卷徒空虚。”要教育引导广大党员干部了解民情、掌握实情，搞清楚问题是什么、症结在哪里，拿出破解难题的实招、硬招。调查研究要注重实效，使调研的过程成为加深对党的创新理论领悟的过程，成为保持同人民群众血肉联系的过程，成为推动事业发展的过程。要防止为调研而调研，防止搞"出发一车子、开会一屋子、发言念稿子"式的调研，防止扎堆调研、"作秀式"调研。

敢于直面问题、勇于修正错误是我们党的显著特点和优势。要教育党员干部以刀刃向内的自我革命精神，广泛听取意见，认真检视反思，把问题找实、把根源挖深，明确努力方向和改进措施。检视问题要防止大而化之、隔靴搔痒，避重就轻、避实就虚；防止以上级指出的问题代替自身查找的问题、以班子问题代替个人问题、以他人问题代替自身问题、以工作业务问题代替思想政治问题、以旧问题代替新问题。针对查摆出来的问题，要对症下药，切实把问题解决好。

"人患不知其过，既知之，不能改，是无勇也。"要把"改"字贯穿始终，立查立改、即知即改，能够当下改的，明确时限和要求，按期整改到位；一时解决不了的，要盯住不放，通过不断深化认识、增强自觉，明确阶段目标，持续整改。整改落实要防止虎头蛇尾、久拖不决，防止搞纸上整改、虚假整改，防止以简单问责基层干部代替整改责任落实，防止以整改为名，层层填表报数，增加基层负担。要把开展主题教育同树立正确用人导向结合起来，对领导班子和领导干部政治、思想、作风、履职能力等情况进行评估，及时提拔使用好干部，坚决调整处理对党不忠、从政不廉、为官不为的干部，形成优者上、庸者下、劣者汰的良好政治生态。

近年来，我们回应群众关切，先后专项整治公款吃喝、超标配备公车、滥建楼堂馆所等，取得显著成效。专项整治切口小、发力准、效果好。这次主题教育，开展专项整治是一个重要抓手，全过程都要抓紧抓实。除了党中央统一部署之外，各地区各部门各单位要有针对性地列出需要整治的突出问题，进行集中治理。专项整治情况要以适当方式向党员干部群众进行通报，对专项整治中发现的违纪违法问题，要严肃查处。

主题教育结束前，县处级以上领导班子要召开专题民主生活会，认真开展批评和自我批评。自我批评要见人见事见思想，相互批评要真点问题，达到红脸出汗、排毒治病的效果。要有闻过则喜、知过不讳的胸襟，听得进不同意见，容得下尖锐批评。

三、加强对主题教育的领导

这次主题教育，时间紧、任务重、要求高。各地区各部门各单位党委（党组）要高度重视，增强责任感和紧迫感，加强组织领导，强化督促指导，提高主题教育质量。

这次主题教育在中央政治局常委会领导下开展，成立中央主题教育领导小组及其办公室。领导小组成员单位要发挥职能作用，形成齐抓共管合力。各级党委（党组）要把主体责任扛起来，主要领导同志要担负起第一责任人责任。党委（党组）成员要认真履行“一岗双责”，对分管领域加强指导督促。要发挥行业系统主管部门对本行业本系统的指导作用。领导机关和领导干部要先学一步、学深一点，先改起来、改实一点，同时要担负好领导指导责任，抓好所属单位党组织的主题教育。对开展主题教育消极对待、敷衍应付的，要严肃批评；对走形变样、问题严重的，要给予组织处理。

各级党委（党组）要加强督促指导。中央指导组要进行巡回指导，加强对各地区各部门各单位开展主题教育的督促指导。省区市党委和行业系统主管部门党组（党委）要派出巡回指导组。督导工作要分类指导，精准施策，防止一刀切、一锅煮。要尊重各地区各部门各单位党委（党组）主体作用，依靠党委（党组）开展工作，向党委（党组）及时反映督导情况，反馈存在问题。

宣传舆论要发挥引导作用。要积极宣传党中央决策部署,宣传主题教育的重大意义和实际成效。要宣传正面典型,宣传党员干部身边可信可学的先进人物,推广一批可复制可普及的好经验。要深刻剖析反面典型,以案例明法纪、促整改,发挥警示作用。

要坚持两手抓两促进,切实防止"两张皮"。各地区各部门各单位要坚持围绕中心、服务大局,把开展主题教育同完成改革发展稳定各项任务结合起来,同做好稳增长、促改革、调结构、惠民生、防风险、保稳定各项工作结合起来,同党中央部署正在做的事结合起来,使党员干部焕发出来的热情转化为攻坚克难、干事创业的实际成果。要力戒形式主义、官僚主义,教育引导党员干部树立正确政绩观,真抓实干、转变作风。主题教育本身要注重实际效果,解决实质问题。要以好的作风开展主题教育,对可能出现的各种形式主义,提前预判、有效防范、坚决克服。